Jonas et l'orpheline

L'auteur : Penny Dolan habite dans le nord du Yorkshire, en Angleterre. Elle a écrit de nombreux ouvrages, dont certains sont étudiés dans les écoles anglaises. C'est également une conteuse très populaire qui visite beaucoup les écoles, les librairies et les bibliothèques. Du même auteur sont parus *Le fantôme du capitaine Harrible*, *L'étrange découverte de Jonas*, dans 100 % aventure.

L'illustrateur : Wilbert Van der Steen est né en 1966 aux Pays-Bas. Il a travaillé pour la télévision et a participé à de nombreuses expositions à Amsterdam. Depuis 1995, il illustre des livres pour enfants et des livres scolaires.

Un Jonas Jones rien que pour Jim !
Avec tout mon amour et un grand merci pour l'aide
que tu m'as apportée.

Titre original : *The Tale of Highover Hill*
© Texte 2002, Penny Dolan
© Illustrations 2002, Wilbert Van der Steen
Publié avec l'autorisation de Scholastic Inc., 557 Broadway, New York, NY 10012, USA.

Loi n° 49-956 du 16 juillet 1949
sur les publications destinées à la jeunesse.
Dépôt légal : juillet 2007 – ISBN 13 : 978-2-7470-1518-9.
Imprimé en Allemagne par Clausen & Bosse.

100% AVENTURE !

Jonas et l'orpheline

Penny Dolan

Traduit de l'anglais
par Sidonie Van den Dries
Illustré par Wilbert Van der Steen

BAYARD JEUNESSE

1
Drôle de rencontre

Autrefois, il y a bien longtemps, une vieille maison se dressait tout en haut d'une colline, à demi cachée par les arbres. On l'appelait le Manoir Branlant. Sa tour élancée et ses grandes cheminées lui donnaient un air secret, mystérieux, même par un clair matin d'hiver…

Les premiers rayons du soleil faisaient scintiller le sol enneigé. Au pied du large escalier du Manoir Branlant stationnait un traîneau à l'ancienne, tout de bois et de fer.

Trois énormes chiens – Bourru, Touffu et Grise-Queue –, attelés au traîneau par des lanières de cuir, soufflaient de petits nuages dans l'air glacé. Bourru et Touffu, impatients, faisaient cliqueter les boucles de leur harnais. Grise-Queue, la mère, les rappela à l'ordre en grondant.

La porte de la vieille bâtisse s'ouvrit en grinçant, et un jeune garçon jaillit dehors. Il avait une longue écharpe autour du cou et une liste interminable à la main. C'était Jonas Jones. Sur ses talons trottinait un chien bâtard à la queue courte.

– Allez, Croûton, ne traînons pas ! dit Jonas en fourrant la liste dans sa poche. On a des tonnes de choses à rapporter aujourd'hui.

Il s'installa à la place du conducteur, et Croûton sauta près de lui.

Avant de partir, Jonas leva les yeux vers

le Manoir Branlant. Cinq vieillards, tous plus vieux les uns que les autres, étaient apparus derrière les fenêtres. Ils lui firent de grands signes de la main pour lui souhaiter un bon voyage. Chacun avait à son côté un chien affectueux qui écrasait sa truffe humide contre la vitre.

Croûton agita son bout de queue à l'intention de ses amis à poil et Jonas, heureux, salua en retour sa drôle de famille. Puis le jeune garçon secoua légèrement les rênes, et les chiens se mirent à tirer.

Le traîneau glissa lentement sur la neige et slaloma entre plusieurs buissons aux formes étranges avant de prendre de la vitesse. Un instant plus tard, il filait dans l'allée. Après le portail, dans un brusque virage à droite, il souleva une rafale de flocons de neige et manqua de se renverser, mais cela faisait partie du plaisir.

L'attelage continua sur sa lancée à travers les prés enneigés, le long des haies

couvertes de givre. Croûton, assis près de son maître, reniflait le vent frais. Jonas sentait l'air lui picoter le visage et les doigts. Il frissonna, un peu à cause du froid, et un peu aussi parce que cela lui rappelait le temps où il ne vivait pas encore au Manoir Branlant.

Il repensa aux rudes journées, aux nuits glaciales que Croûton et lui avaient passées dehors lorsqu'ils n'avaient pas de maison, à la faim qui les tenaillait. Il frémit au souvenir des cris de l'infâme Chasseur de Chiens[1], qui avait tenté de les capturer dans son filet. Heureusement, tout cela appartenait au passé !

Bien au chaud dans les plis de son écharpe, Jonas sourit avec gratitude. Il tendit la main et ébouriffa la fourrure de Croûton.

– Ouah ! fit le chien en remuant son minuscule bout de queue.

---

1. Voir le tome précédent, *L'étrange découverte de Jonas*, 100 % aventure, n° 817.

La petite ville de Riddlesden s'étendait au pied du Manoir Branlant ; cependant, Jonas et Croûton n'avaient pas prévu de s'y rendre.

Ce jour-là, ils devaient traverser la lande et gravir la colline de Rondebosse, puis emprunter la route qui redescendait sur l'autre versant vers Hebbing Bridge, la ville des péniches et des canaux.

Jonas se réjouissait d'avance à l'idée de la longue descente vertigineuse qui les attendait. Pour la première fois, il conduisait seul le traîneau !

Il était très impatient. Il savait aussi que le trajet du retour serait moins agréable : le traîneau serait chargé de paquets, et il lui faudrait remonter la pente en marchant à côté des chiens.

Jonas serrait fort les rênes entre ses mains, et les animaux pilonnaient la neige craquante de leurs pattes puissantes. La route, qui ondulait dans la lande marécageuse, était de plus en plus raide à mesure qu'ils approchaient du sommet de la colline.

Bourru, Touffu et Grise-Queue, qui connaissaient le chemin, s'arrêtèrent enfin. Ils attendirent en remuant frénétiquement la queue.

Jonas fit le tour du traîneau pour s'assurer qu'ils étaient bien attachés et que les freins de bois fonctionnaient correctement.

Tout en bas, dans le lointain, on apercevait les toits en pierre des maisons de Hebbing Bridge, et la rivière qui serpentait entre les bâtiments tel un ruban de glace. Des bateaux et des barges étaient amarrés le long de ses rives, immobiles, comme saisis par le froid hivernal.

Jonas observa attentivement la pente glissante. Il allait remonter dans le traîneau lorsque quelque chose attira son regard.

Une fille aux cheveux roux flamboyants était perchée sur la vieille borne kilométrique. Bien que l'air fût glacial, elle se

tenait en équilibre sur une jambe, aussi figée qu'une statue. Avec ses bras écartés, semblables à des ailes déployées, on aurait dit qu'elle voulait prendre son envol.

Jonas ne put s'empêcher de remarquer son air furieux, ses joues pâles et ses poignets très maigres. Il se rappela l'époque où il avait la même allure.

– Bonjour…, fit-il.

La fille se retourna brusquement, sauta à terre et lui cracha au visage.

2
Un mauvais pressentiment

– Qu'est-ce que tu regardes ? lui lança-
t-elle sur un ton bourru.

Jonas continua de la dévisager. Elle avait
à peu près le même âge que lui. Un fin
châle brodé cachait ses haillons.

– Toi. C'est toi que je regarde, lui répon-
dit-il sans se démonter.

Non mais ! De quel droit lui parlait-elle
ainsi ?

– Et alors ? Il n'y a pas de mal à ça !
ajouta-t-il.

– Si, justement ! répliqua-t-elle, farouche. Parce qu'on me regarde déjà toute la journée avec le même air ahuri !

Sur ces mots, elle se détourna et se voûta, comme si elle avait renoncé à prendre son envol.

Jonas attendit un peu avant de lui demander, plus doucement :

– Ça va ?

– Qu'est-ce que ça peut te faire ? D'ailleurs, tout le monde s'en fiche, non ?

– Je n'en sais rien, dit calmement Jonas. Moi, j'allais juste te proposer de t'emmener jusqu'à Hebbing Bridge. Est-ce que tu veux venir ? Je m'appelle Jonas Jones.

Il saisit les rênes, et les chiens se redressèrent de toute leur hauteur.

La fille fixa leur épais pelage gris, leur tête forte et décidée. Elle vit qu'elle pouvait leur faire confiance : ces animaux la transporteraient en toute sécurité. En revanche, elle toisait toujours Jonas avec méfiance.

– Ouah, ouah !

Croûton sauta du traîneau et trottina vers elle. Sa queue frétillait d'une façon si amicale que la fille finit par sourire.

– Bon, d'accord, Jonas Jones, dit-elle, je viens avec toi !

Puis elle soupira :

– De toute manière, je ne peux pas aller plus loin…

Elle s'assit près de Jonas. Croûton se glissa entre eux et lécha la main glacée de la nouvelle venue, qui lui tapota la tête en retour.

Mais, bientôt, elle se rembrunit :

– Jonas ! Promets-moi de me laisser descendre avant qu'on entre en ville. Il ne faut surtout pas qu'on me voie avec toi.

Jonas était intrigué par cette fille étrange. Était-ce une servante en fuite ? Une fugueuse qui craignait la maison de correction ? En tout cas, elle n'avait personne pour veiller sur elle…. Ou alors pas comme il fallait ! Elle avait les chevilles couvertes de bleus.

– Personne ne te verra, lui assura-t-il. De toute façon, on sera obligés de ralentir bien avant d'arriver sur les pavés de Hebbing Bridge.

Le jeune garçon émit un sifflement strident, et Bourru, Touffu et Grise-Queue s'élancèrent. Le traîneau dévala la colline, vif comme une navette de tisserand.

Jonas le dirigeait d'une main experte entre les talus ; il était aux anges.

Il lorgna vers sa passagère et vit que ses

yeux clairs pétillaient d'excitation. Elle lui sourit. Grisés par la vitesse, ils éclatèrent de rire à l'unisson.

Et soudain, sans prévenir, la fille rejeta la tête en arrière et se mit à chanter. Elle avait une voix puissante et claire.

Le traîneau filait comme l'éclair entre des arbres et des haies qu'ils avaient à peine le temps d'apercevoir. Au pied de la colline, ils prirent la route menant vers Hebbing Bridge.

Jonas stoppa le traîneau devant le pré communal de la petite ville.

– Il y a des siècles que je n'avais pas passé un aussi bon moment ! déclara la fille en sautant à terre, un grand sourire aux lèvres. Merci, Jonas Jones !

Puis elle inclina la tête sur le côté et lui tendit une main fluette :

– Dis, tu n'aurais pas quelque chose à manger ?

Jonas fouilla dans sa poche et en sortit

deux pommes rosées. Elle s'en empara vivement, le remercia et se sauva aussitôt.

Jonas la regarda s'éloigner.

Elle se dirigeait vers l'autre extrémité du pré, où, à l'orée du bois, des nomades s'étaient installés. Jonas distingua une roulotte en bois qui avait dû être très belle autrefois, mais dont la peinture s'écaillait.

Tout près, il y avait une petite charrette couverte d'une bâche. On avait également tendu de vieilles couvertures sur un flanc de la roulotte pour construire un abri de fortune. D'étranges odeurs parvenaient aux narines de Jonas ; il entendit un cliquetis et un fracas, et des voix rauques qui se chamaillaient.

Attachés près du campement, un âne et un vieux cheval broutaient fébrilement l'herbe durcie par le gel. Ils levèrent la tête lorsque la fille arriva vers eux en courant. Elle leur caressa affectueusement l'encolure et leur offrit les pommes. Au même moment, des cris impatients fusèrent :

– Lizzie Linnet ! Viens ici tout de suite, ou gare à toi !

La fille rentra la tête dans les épaules et se dirigea à contrecœur vers la roulotte, où elle disparut. Il y eut encore un cri bref, suivi d'un éclat de voix furieux.

Jonas tendit l'oreille.

– Alors, tu ne penses qu'à danser et à cabrioler ? Tu as encore des tas de choses à faire avant midi, je te signale. Tu ne voulais pas te sauver, j'espère ? Tu sais que c'est impossible !

– Je sais, je sais ! répondit Lizzie d'un ton plaintif.

– Allez, au travail, et vite ! L'heure du petit déjeuner est passée, termina la voix sévère.

Jonas fronça les sourcils. Il se faisait du souci pour la pauvre Lizzie. Il se méfiait des inconnus qui avaient dressé ce campement misérable ; ils étaient très différents des voyageurs qui s'arrêtaient d'habitude sur le pré communal.

– Ouah ? demanda le petit chien, en venant se blottir contre son maître.

– Je ne sais pas, Croûton, dit Jonas en récupérant les rênes. Mais j'ai un mauvais pressentiment.

3
Les provisions

Jonas conduisit le traîneau dans les rues enneigées de Hebbing Bridge.

Il guida Bourru, Touffu et Grise-Queue, qui cheminaient lentement dans les ornières, jusqu'aux berges très animées de la rivière.

Des bateaux et des barges étaient amarrés le long des rives, prisonniers des eaux gelées. Et cependant il fallait décharger les marchandises. Aussi voyait-on des charrettes pleines de cageots et de colis rouler en tous sens.

Jonas rangea le traîneau dans la cour de leur entrepôt familier. Il attacha les chiens, puis entra en hâte dans le bâtiment qui abritait un bureau.

– Bonjour, Jonas ! Tu viens chercher tes paquets ? lança joyeusement l'homme assis derrière le comptoir.

Il prit le crayon coincé derrière son oreille et parcourut les pages couvertes d'écritures du livre de commandes.

– Mais oui, mais oui ! Tout est arrivé ! Et tu as de la chance ! Plus rien ne bouge sur l'eau, avec ce temps.

Ce ne fut pas une mince affaire de rassembler les articles.

Il y avait des boîtes de plumes, des tubes de peinture et des cordes de piano, des cartons de livres, des chaussures et des chemises de nuit, des rouleaux de cartes, des manuscrits, et toutes sortes d'objets ;

autant de choses qu'il faudrait rapporter au Manoir Branlant.

Le magasinier aida Jonas à charger le traîneau et à attacher des couvertures à l'arrière pour protéger les marchandises. Cela leur prit un bon moment.

Lorsqu'ils eurent terminé, Jonas offrit aux chiens affamés des os et des biscuits, en guise de déjeuner.

Puis il contempla le ciel. Il était d'un bleu glacial et le soleil brillait au zénith, tel un bouton de cuivre. C'était une belle journée. Cependant, Jonas savait qu'en hiver, dès que l'astre entamait sa descente, la lande devenait sombre et froide.

– Je pense qu'on a le temps d'aller faire un petit tour en ville, Croûton, décida-t-il. Mais il faudra repartir de bonne heure pour rentrer au Manoir Branlant avant la nuit.

Il confia aux chiens la garde du traîneau, puis s'éloigna avec son compagnon, en quête d'une gourmandise.

Ils laissèrent derrière eux la rivière et ses entrepôts et remontèrent la rue principale, noire de monde. Jonas acheta deux tartes croustillantes et dorées au « Joyeux Meunier » : une pour lui, et l'autre à partager avec Croûton.

Il chercha un coin où grignoter tranquillement. Tout en mangeant, il remarqua plusieurs personnes qui lisaient une affiche jaune, collée sur la devanture du « Joyeux Meunier ». Il essuya sa bouche pleine de miettes et s'approcha pour y jeter un coup d'œil.

Chez vous, à Hebbing Bridge,

Aujourd'hui, exceptionnellement !

Assistez au Stupéfiant Spectacle Médicinal de Mme Narcose.

Venez voir ses Guérisons Grandioses.

Achetez ses Sirops Succulents et ses Potions Parfaites !

Essayez la pommade à l'échalote qui réduit les oignons.

Cessez d'importuner les autres en ronflant

grâce aux pince-nez « pince-moi ».

Chassez vos douleurs avec la moutarde médicinale Narcose !

À midi, place de la Vieille Pompe.

Jonas consulta l'horloge au clocher de l'église.

Il était presque midi. Il fit tinter les piécettes qu'il avait dans la poche. En hiver, il faisait froid au Manoir Branlant, et les courants d'air causaient toutes sortes de douleurs et de rhumatismes aux vieillards qui l'habitaient.

– Ça vaut peut-être le détour. Qu'en distu, Croûton ?

– Ouah ! fit le chien en agitant joyeusement la queue.

Ils se rendirent donc place de la Vieille Pompe, où Jonas grimpa sur une barrière pour voir par-dessus les têtes et les chapeaux.

Croûton s'installa à ses pieds et piqua un somme à l'abri de la palissade.

À l'autre bout de l'esplanade, le jeune garçon distingua une plate-forme drapée de tentures aux couleurs éclatantes. Une espèce de penderie à roulettes était installée en son centre. Ses portes étaient ornées de signes étranges.

L'endroit était bondé ; les gens bavardaient avec animation en montrant l'estrade. Ils se turent lorsqu'un petit homme presque chauve y apparut. Il portait une paire de bottes à boucles et un pardessus plein de poches beaucoup trop grand, qui traînait par terre.

L'homme se courba bien bas, et un sourire se dessina sur son visage aux yeux cruels.

– Octodieux Ollett, préparateur de pommades, pour vous servir !

Puis il traversa la scène à grands pas, fouilla dans une sacoche graisseuse et lança des exemplaires de l'affiche jaune aux spectateurs.

Soudain, plusieurs feuilles bleues s'envolèrent de son sac. Ollett, fébrile, se dépêcha de les rattraper. Il les récupéra toutes, sauf une.

Le vent emporta la dernière affiche bleue jusqu'à la palissade où Jonas était perché. Elle descendit en tournoyant et se posa sur le museau de Croûton. Surpris, le chien la saisit délicatement entre les dents.

Ollett sauta de l'estrade et fendit la foule en jouant des coudes pour reprendre son bien. Il se pencha vers Croûton.

– Rends-moi ça, gentil chien-chien ! le cajola-t-il.

Croûton n'aimait pas cet homme, et il n'avait pas envie d'être gentil. Si son maître n'avait pas été tout près, il aurait sans doute été moins courageux, car les bottes du petit homme étaient étonnamment grandes. Cependant, rassuré par la présence de Jonas, il refusa de lâcher l'affiche et recula en grognant.

L'horloge de l'église sonna midi. La foule s'impatientait : elle tapait du pied et criait. Ollett fit une dernière tentative, mais Croûton était trop vif pour lui.

Finalement, il proféra quelques jurons et regagna l'estrade, où il se hissa péniblement. Jonas calma Croûton, rangea l'affiche dans sa poche pour la lire plus tard et remonta sur sa barrière.

Vite : le spectacle débutait !

Ollett ôta son manteau. Dessous, il portait un costume d'Arlequin en velours, orné de pendeloques rouillées. Il sortit un pipeau et se mit à jouer affreusement faux.

Une silhouette agile entra en dansant, toute étincelante de paillettes. Ses yeux étaient cachés par un masque de velours noir. Elle se renversa sur les mains et commença à courir la tête en bas. Puis elle fit une succession de roues et de triples saltos, toujours plus haut, toujours plus vite.

La foule était bouche bée, émerveillée par tant de souplesse. Quand l'acrobate s'arrêta enfin, en équilibre sur une jambe, les bras écartés, Jonas la reconnut.

C'était Lizzie Linnet !

Ollett, maladroit comme un crapaud, souffla encore quelques notes discordantes dans son pipeau avant de déclamer :

– Mesdames et Messieurs, vous venez de voir la célèbre princesse dansante de Perapsie ! La princesse était autrefois une pauvre créature malade. Grâce aux merveilles des composés médicinaux Narcose, elle danse à présent merveilleusement bien !

La Princesse fit une ultime pirouette et quitta la scène sous un tonnerre d'applaudissements.

– Et maintenant, reprit Ollett, laissez-moi vous présenter l'étoile lointaine, la crème des crèmes, la merveilleuse Madame Narcose !

4
Un affreux spectacle

Une grande femme à l'allure sournoise fit son entrée.

Sa robe chatoyante flottait autour de son corps mince. Elle était coiffée d'un turban de soie, portait une rangée de pierres précieuses autour du cou et tenait à la main une longue canne d'ébène. Son visage était pâle comme la mort et elle avait des yeux d'un violet sombre et profond.

Jonas n'en avait jamais vu d'aussi grands ; ils en étaient presque effrayants.

Mme Narcose pointa sa canne d'ébène sur la foule, qui se tut. Elle confia alors son bâton à Ollett, et extirpa de sa robe une grosse amulette de cristal, qui pendait au bout d'une chaîne dorée.

Puis elle se mit à arpenter l'estrade d'une démarche ondulante. L'amulette, qui oscillait d'avant en arrière, lançait des éclairs à intervalles réguliers, au rythme de ses mouvements.

– Faites-moi confiance ! scanda Mme Narcose d'une voix envoûtante. N'ayez pas peur ! Bientôt s'envoleront vos horribles douleurs !

Elle retraversa lentement la scène en psalmodiant :

– Faites-moi confiance ! Oui, faites-moi confiance ! Une goutte minuscule, une toute petite cuillerée...

Elle s'interrompit pour sourire avec ravissement avant de reprendre :

– ... apaiseront vos souffrances ! Faites-moi confiance ! Vous n'avez rien à craindre, souffla-t-elle. Sortez juste une pièce ou deux de votre bourse rebondie !

Tout en chantant, Mme Narcose fixait le public avec cupidité, le dévorait des yeux.

« On dirait qu'elle veut ensorceler les gens », songea Jonas.

L'amulette de cristal se balançait toujours face aux visages subjugués. La foule semblait hypnotisée. Si le jeune garçon n'avait pas regardé ses pieds pour s'assurer que Croûton allait bien, il aurait peut-être été cloué sur place, lui aussi.

Soudain, Mme Narcose éclata d'un rire triomphant. Elle ouvrit en grand les portes de la pharmacie portative, faisant apparaître des rangées de bouteilles de verre miroitantes.

– Achetez et essayez ! s'écria-t-elle en brandissant un flacon de potion, un pot de pommade, une boîte de pilules. Mes remèdes guérissent toutes les maladies connues.

À l'entendre, ses articles étaient miraculeux. Tels des zombies, les gens déposaient leur argent dans la main d'Octodieux Ollett. Et, tandis que celui-ci rangeait les liasses de billets dans sa sacoche graisseuse, ils serraient frénétiquement les articles qu'ils avaient reçus en échange.

Un grand gaillard de marinier, arrivé en retard, se lança en avant.

– Hé, qu'est-ce qu'elle raconte ? protesta-t-il. Ça fait une sacrée somme pour de la pommade !

Un frisson parcourut le public en transe, comme si les gens reprenaient leurs esprits.

Au même instant, une misérable créature vêtue de haillons, la tête couverte d'un châle rapiécé, se détacha de la foule.

Elle grimpa tant bien que mal sur l'estrade et s'y allongea en gémissant.

– Tiens, tiens, mais que vois-je là ? coassa Mme Narcose en pointant un doigt orné d'une bague violette vers la forme tremblante. Ne serait-ce pas une épave ratatinée, tourmentée par la douleur ?

Les spectateurs, fascinés, ne quittaient pas des yeux la pitoyable silhouette.

Ollett alla choisir une fiole dans la pharmacie portative et se précipita vers la pauvresse. Il retira le bouchon avec énergie et approcha le flacon de ses lèvres. Lorsque le liquide pénétra dans sa bouche, la créature s'arc-bouta avant de retomber en arrière, comme morte. La foule suffoquait.

La malheureuse fut alors prise de trem-blements. D'abord ses pieds, puis ses jambes, ses bras, son buste et sa tête – comme si la vie l'emplissait de nouveau. Alors elle se releva d'un bond et remercia chaleureusement Mme Narcose et ses potions.

À la vue de cet incroyable miracle, Jonas frémit. Il avait aperçu, sous les haillons, deux chevilles couvertes de bleus. Il savait qui s'était hissé sur scène au moment critique ! Quand il entendit Lizzie, déguisée, s'écrier d'une voix chantante : « Guérie ! Je suis guérie ! Je suis enfin guérie ! », il secoua tristement la tête.

Il détestait ce qu'elle faisait. Elle trompait les gens, simulait des miracles, faisait croire que les remèdes de Mme Narcose étaient efficaces, alors que ce n'était probablement pas le cas… Pourtant, il n'arrivait pas à la détester. Il était convaincu qu'elle n'avait pas le choix.

« N'empêche, c'est mal de faire cela ! »
pensa-t-il, contrarié. Il se demanda comment il pourrait l'aider.

Le public, émerveillé, partit dans un tonnerre d'applaudissements et redoubla d'intérêt pour les potions et les lotions de Mme
Narcose. Quels que soient leurs maux ou
leurs maladies, elle était sûre de leur
vendre un remède !

Écœuré par ce spectacle, Jonas sauta de
sa barrière et réveilla Croûton. Le petit
chien agita impatiemment sa queue.

– Viens, Croûton ! dit le jeune garçon,
presque honteux d'abandonner Lizzie. Il
est temps de rentrer chez nous !

L'après-midi était bien entamée, et le
soleil avait déjà commencé à glisser vers
l'horizon. Jonas s'assura que les paquets
étaient correctement attachés au traîneau
et donna à Bourru, Touffu et Grise-Queue
le signal du départ.

Chemin faisant, il ne put s'empêcher de

repenser à Lizzie. Il était perplexe ; mais au moins il avait compris pourquoi elle ne supportait pas d'être regardée.

Ils laissèrent Hebbing Bridge derrière eux. Quand le lourd traîneau passa devant le pré communal, Jonas jeta un coup d'œil vers le petit campement niché dans les ombres violettes, sous les arbres.

L'âne et le vieux cheval broutaient avec avidité l'herbe maigre qui perçait la neige.

« Qui est la vraie Lizzie ? s'interrogea-t-il. C'est forcément la personne que j'ai transportée, et non la créature sournoise, hypocrite, qui a participé au spectacle de Mme Narcose ! »

Il soupira et décida de se concentrer sur le trajet du retour.

La remontée de la colline de Rondebosse se révéla plus pénible que jamais, et la traversée de la lande enneigée fut bien triste.

Jonas marchait à grandes enjambées à côté des chiens là où la pente était forte, et grimpait sur le traîneau chargé dès que le chemin redevenait plat. Il avait l'impression que son cœur était aussi lourd que le traîneau.

Il arriva au Manoir Branlant à la nuit tombée et déchargea les paquets sans faire de bruit. Il ne voulait parler à personne de son voyage et de Lizzie Linnet. Pas encore.

5
Qui est Lizzie?

Jonas fit la distribution des paquets, qu'il laissa devant les différentes pièces. Puis il s'assit et but une bonne tasse de chocolat.

En la dégustant, il songea de nouveau à Lizzie. Il la revit perchée sur sa borne kilométrique. Il était sûr qu'elle mourait d'envie de s'envoler, de s'échapper. Alors, pourquoi ne se sauvait-elle pas ?

À l'aube, les saltimbanques reprendraient la route. Mme Narcose ne laisserait pas aux gens le temps de s'apercevoir que ses remèdes hors de prix n'étaient que de l'eau colorée et des savons nauséabonds. Où serait Lizzie le lendemain ? La semaine suivante ? N'était-il pas déjà trop tard pour l'aider ?

Croûton s'approcha de Jonas en trotti-nant, renifla sa poche et en sortit une feuille de papier bleu toute chiffonnée, détrempée. Jonas la prit et la déplia.

C'était l'affiche à laquelle Octodieux Ollett tenait tant ! Elle annonçait le Stupéfiant Spectacle Médicinal de Mme Narcose… Mais pas celui auquel il avait assisté à Hebbing Bridge : cette escroquerie-là était terminée, classée !

Jonas découvrit, très intéressé, que la suivante aurait lieu à Riddlesden, la petite ville de ce côté-ci de la lande, toute proche du Manoir Branlant !

– Bon chien ! dit-il à Croûton qui tour-nait sur lui-même, tout fier, dans l'espoir d'attraper son bout de queue.

Évidemment ! Les gens, furieux, viendraient se faire rembourser s'ils savaient où trouver les escrocs. Voilà pourquoi Ollett voulait garder l'affiche secrète. Cela permettait à Mme Narcose de voyager tranquillement, par les petites routes, jusqu'à Riddlesden, où la représentation se tiendrait...

Jonas étudia attentivement un coin mâchouillé de l'affiche.

... dans trois jours !

Toute la nuit, Jonas se tourna et se retourna dans son lit. Même s'il savait ce que c'était que de vivre à la dure, il ne voyait pas comment secourir Lizzie.

Au petit matin, il emprunta le long couloir menant à la bibliothèque et frappa à la porte.

– Entrez ! fit le vieil homme barbu.

Assis derrière son bureau, il accueillit Jonas avec un grand sourire. Il posa son porte-plume, souffla sur son cahier pour sécher l'encre et regarda par-dessus ses lunettes :

– Quel bon vent t'amène, Jonas ?

– Imaginez…, répondit le garçon en se grattant la tête. Imaginez que vous connaissiez quelqu'un qui a des ennuis. Que feriez-vous ?

– Oh ! Sapristi, saperlotte ! Quelle drôle de question ! s'exclama le vieil homme.

46

Puis il montra à Jonas une rangée d'en-cyclopédies reliées de cuir et déclara :

– Je crois que j'essaierais de me docu-menter.

– Vous avez sûrement raison, admit Jonas. Mais je ne trouverai rien dans ces livres. Je vais devoir aller chercher ma réponse ailleurs.

Jonas se débarrassa le plus vite possible de toutes les choses qu'il avait à faire, parce que le lendemain – le deuxième jour – il avait prévu de commencer ses recherches.

Le lendemain après-midi, Jonas et Croûton se mirent donc en route pour Riddlesden. D'après ses calculs, c'était ce jour-là que Mme Narcose installerait son campement, et il croyait savoir où. Il y avait un terrain vague à l'entrée de la ville. On l'appelait le Pré aux Braconniers.

Et, en effet, la roulotte et la petite char-rette s'y trouvaient, à l'abri d'un grand arbre. Jonas et Croûton se tapirent dans les fourrés, afin de voir sans être vus.

Un ruban de fumée s'élevait du campement, et une odeur infecte flottait dans l'air hivernal, indiquant que l'on préparait de nouveaux médicaments.

L'âne et le cheval broutaient avec lassitude l'herbe dure. Ils étaient si épuisés d'avoir traîné leur lourd fardeau qu'on n'avait même pas jugé utile de les attacher.

Peu après son arrivée, Jonas vit Lizzie se faufiler hors de la roulotte. Elle s'approcha de l'âne sur la pointe des pieds et se blottit contre ses naseaux en massant son encolure endolorie. Puis elle alla murmurer quelque chose à l'oreille du cheval et, légère comme l'air, sauta sur son dos.

Ollett sortit précipitamment de la roulotte, la longue canne de Mme Narcose à la main. Il attrapa la cheville de Lizzie et tira dessus pour la forcer à descendre.

– Tu ne voulais pas te sauver, j'espère ? ricana-t-il. Parce que, si tu t'en vas avec ton âne et ta vieille carne, on n'aura aucun mal à te retrouver ! Ils sont trop vieux pour aller vite, et on verra les empreintes de leurs sabots, pas vrai ?

Lizzie se tortilla pour se libérer. Ollett éclata de rire :

– Et si tu t'enfuis sans tes chéris, petite Lizzie, tant pis pour eux ! On enverra ton Domino et ta Cacahuète à l'abattoir, où ils seront transformés en chair à pâté !

Il la secoua sans ménagement :

– Alors tu as intérêt à faire ce qu'on te dit, Mme Narcose et moi, car personne ne va t'aider !

Ollett s'en alla d'un pas lourd vers sa charrette en faisant des moulinets avec sa canne.

Lizzie se laissa tomber sur le sol glacé. Jonas mourait d'envie de courir vers elle ; il se retint : si Ollett le voyait, ce serait encore pire. Que pouvait-il faire ?

Le jeune garçon réfléchit un moment. Soudain, il sourit et se pencha pour chuchoter à l'oreille de Croûton. Le petit chien agita joyeusement la queue et, ventre contre terre, il se mit à ramper dans la neige. À force de se tortiller, il se rapprocha peu à peu de Lizzie.

Jonas la vit tressaillir lorsqu'elle le reconnut. Elle scruta le pré l'air de rien, comme si elle craignait qu'Ollett ne soit encore en train de la surveiller. Croûton tira un petit coup sur son châle et grogna doucement. Puis il retourna vers son maître en se dandinant. Lizzie le suivit du regard.

Une minute plus tard, elle se releva et alla ramasser la longe de Cacahuète. Elle mena l'âne, qui boitillait, vers une touffe de chardons gelés, tout près de la cachette de Jonas. Elle ne regarda pas le fourré, feignant d'ignorer que quelqu'un y était dissimulé.

– Alors, Jonas, demanda-t-elle à mi-voix.

Qu'est-ce que tu penses de moi, maintenant que tu sais ce que je fais ? Que je joue la comédie pour soutirer leurs économies aux pauvres gens ?

– Lizzie, je ne pense pas de mal de toi, lui répondit Jonas à voix basse. Moi, ce que je crois, c'est que tu restes pour sauver Domino et Cacahuète.

Elle haussa les épaules :

– Peut-être.

– Peut-être ? répéta le garçon.

– Jonas, que pourrais-je faire d'autre ? répliqua-t-elle. Où pourrais-je aller ? Mon père et ma mère étaient funambules, et un jour leur fil s'est cassé. Voilà. Tout le monde se fiche de savoir ce que deviennent les voltigeurs qui tombent.

Lizzie poussa un gros soupir, suivi d'un sourire timide :

– Oublie ce que je viens de dire, Jonas. Va plutôt t'amuser avec d'autres gens plus gais.

Jonas dévisagea Lizzie. Elle semblait sincère :

– Bien sûr, Ollett et Mme Narcose étaient gentils comme tout, tant qu'ils dépensaient nos économies. Mais l'état de papa et maman a empiré, et...

Sa voix se brisa.

– Alors, tu n'as vraiment pas d'endroit où aller ? insista Jonas.

– Pas d'endroit où l'on accepterait mon vieux Domino et ma pauvre Cacahuète.

D'ailleurs, qui voudrait d'une fille tricheuse et hypocrite comme moi, honnêtement ?

Le visage de Lizzie Linnet s'assombrit encore :

– Tu as tort de te soucier de moi, Jonas. Rentre donc chez toi, où que ce soit, et ne pense plus à moi. Je n'en vaux pas la peine.

Sur ces mots, elle fit demi-tour et courut vers la roulotte.

Cacahuète se mit à braire tristement et s'éloigna en clopinant à son côté.

6
À l'heure du thé

Jonas se creusa la tête sur le chemin du retour. « Il faut que je fasse quelque chose pour Lizzie, songeait-il. Mais quoi ? »

À l'instant précis où il franchissait la porte du Manoir Branlant, suivi de Croûton, la vieille horloge du hall sonna.

– Ouah, ouah ! aboya Croûton en tirant sur le pantalon de son maître pour lui rappeler que c'était l'heure du thé.

– C'est bon, Croûton, j'ai deviné : tu as faim ! dit Jonas.

Il se dirigea vers le fond du couloir, d'où provenait un cliquetis de tasses.

Avant d'entrer dans le salon, Jonas s'arrêta pour se regarder dans le grand miroir au cadre doré fixé au mur.

Il ôta quelques brindilles de ses cheveux et frotta sa veste. Comme cela, il avait l'air plus soigné.

L'immense pièce était pleine de livres et de journaux. Elle avait une énorme cheminée et était meublée d'une longue table à la surface brillante et de cinq fauteuils, occupés par de vieux messieurs à l'allure excentrique.

Au pied de chaque fauteuil, un chien était allongé. Qu'ils soient grands, petits, à poil uni ou tacheté, qu'ils aient la fourrure rêche ou soyeuse, tous paressaient avec bonheur dans la tiédeur de la pièce. De temps à autre, ils levaient les yeux vers

leurs drôles de maîtres, qui leur souriaient avec bienveillance.

Le siège le plus proche de l'âtre était un robuste fauteuil de bois. Le vieil homme barbu y était assis. Il avait une longue fourchette à la main. Près de lui, sur un guéridon, étaient posés un couteau et plusieurs grosses tranches de pain.

– Je suis content de te voir, Jonas Jones ! dit-il avec un grand sourire en faisant griller une tranche épaisse au-dessus des flammes.

Il avait des cheveux blancs, une barbe broussailleuse et portait une veste tachée d'encre. Lorsque le toast fut prêt, il le lança en l'air.

Un très vieil homme à la barbiche hérissée le rattrapa. Il était perché sur un haut tabouret à trois pieds, et une planchette de bois usée reposait sur ses genoux osseux. Sa blouse décolorée était maculée de peinture. Il beurra le toast avec beaucoup d'application.

– Je suis très content de te voir, jeune

Jonas ! dit-il en jetant la tartine dans un plat ovale qui attendait sur la table.

Un homme extrêmement vieux assis dans un fauteuil en bois sculpté, décoré d'oiseaux et d'animaux, sourit à Jonas.

– Je suis extrêmement content de te voir, extrêmement ! déclara-t-il en disposant la tranche dans le plat ovale.

D'un geste vif, il expédia le plat à l'autre bout de la table. Celui-ci s'arrêta contre un grand instrument à pendule, face à un homme excessivement vieux entouré de pots de confiture, qui déposait en rythme des cuillerées de marmelade luisante sur les tranches beurrées.

– Je suis excessivement content de te voir, Jonas ! chantonna le vieillard.

Les petits vieux continuèrent ainsi leur besogne, jusqu'à ce qu'une centaine de tranches aient traversé la pièce. Les toasts s'empilaient peu à peu sur le grand plateau d'argent, sous lequel brûlaient des

chandelles. Devant le plateau était installé un homme incroyablement vieux, plus vieux que tous les autres. Chaque fois qu'une bougie s'éteignait, il tendait une main frêle pour la rallumer. Il fit un clin d'œil à Jonas.

– Je suis incroyablement content de te voir, mon cher garçon ! chuchota-t-il. Nous avons tous très envie d'une tasse de thé !

Jonas alla chercher la bouilloire dans la cheminée et remplit la théière. Puis, le plus joyeusement possible, il fit le tour des vieillards pour les servir, en s'efforçant de ne plus penser à Lizzie.

Chacun mordit dans ses tartines et but son thé. Quand les petits vieux eurent fini de mâcher, ils regardèrent attentivement Jonas.

– Sapristi, saperlotte ! Qu'est-ce qui te tracasse ? lui demandèrent-ils.

Jonas fronça les sourcils :

– Bon alors, voilà…

Il leur raconta ce qu'il savait de Lizzie Linnet et de la méchante Mme Narcose.

– À votre avis, qu'est-ce que je devrais faire ?

– Ma foi, dit le premier vieillard en se grattant la barbe avec un stylo. Si j'écrivais une histoire, je dirais que cela dépend de la conclusion que tu recherches.

– Ou du genre de tableau que tu veux composer, ajouta le très vieil homme en griffonnant distraitement sur sa serviette de table.

– Cependant, dit l'homme extrêmement vieux en sortant une boussole de sa poche, tu dois réfléchir à la direction que tu veux prendre.

– Et décider si tu préfères une marche ou une fugue, dit l'homme excessivement vieux en tapotant un rythme sur la nappe.

– Ou te demander quels sont tes rêves, murmura l'homme incroyablement vieux d'un ton endormi.

Et il souffla les chandelles, parce que l'heure du thé était passée.

Jonas les écouta tous, puis réfléchit longuement. Pour finir, il décida de monter dans la tour, au sommet du Manoir Branlant. Il pénétra dans une pièce munie de quatre fenêtres, d'où il pouvait voir à la ronde le ciel embrasé du crépuscule.

Cette pièce n'était meublée que d'une étagère, accrochée assez haut. Sur cette étagère était posé un chapeau à l'envers. Jonas le souleva avec mille précautions et regarda à l'intérieur.

Là, sous une couverture, reposait le plus vieil homme de l'Univers. Il ouvrit des yeux brillants et fit un clin d'œil à Jonas :

– Que veux-tu, Jonas Jones ? Ça n'a pas l'air d'aller fort.

– Eh bien, dit le garçon, on m'a raconté tant de choses aujourd'hui que j'en suis tout retourné.

– Sapristi, saperlotte ! Jonas Jones, dit le vieil homme en souriant. Il n'y a qu'une solution : fais ce que tu dois faire.

Jonas, allongé dans son lit, contemplait les flocons de neige qui voltigeaient doucement dans le ciel nocturne. Croûton était pelotonné à ses pieds.

Le jeune garçon réfléchissait toujours. Il n'y avait qu'une solution : si Lizzie ne voulait pas venir sans Domino et Cacahuète, il devrait les sauver tous les trois. Quant à savoir comment il s'y prendrait, c'était une autre affaire. Il serait tellement facile, pour cet horrible Ollett, de suivre des traces de sabots dans la neige.

Cette nuit-là, en proie à un sommeil agité, Jonas entendit Grise-Queue hurler à la lune. Il sourit : un plan venait de se former dans son esprit.

7
Sauvetage

Le lendemain matin, Jonas et Croûton descendirent à Riddlesden.

– Écoute-moi, Croûton, dit Jonas lorsqu'il entendit un air de flûte s'élever de la place du marché. On ne s'approche pas de Lizzie, d'accord ? Ollett ne doit pas savoir que nous sommes là. Je veux juste voir comment les choses se présentent.

– Ouah ! fit le chien.

Jonas regarda Mme Narcose donner son Stupéfiant Spectacle Médicinal ; il la revit envoûter la foule avec son étrange regard violet. Il vit aussi Lizzie danser et jouer la comédie.

Il regarda les gens faire la queue pour acheter des cachets contre le hoquet, des baumes anti-hématomes, des pilules pour les somnambules et des cataplasmes contre le marasme, autant de remèdes inefficaces.

Il observa Octodieux Ollett, qui empochait les billets avec cupidité. Il aurait aimé pouvoir mettre fin à cette supercherie, mais avant tout il devait aider Lizzie.

Une fois le spectacle terminé, Jonas et Croûton se dépêchèrent de rentrer au Manoir Branlant.

En fin d'après-midi, alors que le jour déclinait, Jonas sortit le traîneau. Il harnacha Griffu, Touffu et Grise-Queue, et mena silencieusement l'attelage sur la route. Croûton se tenait sur le siège, tout joyeux. Lorsqu'ils arrivèrent devant le Pré aux Braconniers, Jonas tira sur les rênes pour leur signifier de s'arrêter.

Les chiens, obéissants, s'assirent sur leur arrière-train.

Mme Narcose et Ollett étaient là ; ils s'affairaient autour de leurs plats et de leurs gamelles. L'odeur âcre des potions apprit à Jonas qu'ils préparaient de nouveaux breuvages pour les vendre.

Il entendit soudain un grand bruit et un fracas de verre brisé.

– Dépêche-toi, espèce d'empotée ! cria Ollett. Plus vite on aura rempli notre armoire, mieux ça vaudra !

Jonas, caché derrière un gros arbre, aperçut Lizzie qui traînait péniblement un panier de bouteilles.

– Colle-moi ces étiquettes, et que ça saute ! lui hurla Mme Narcose.

Elle agita une louche et éclaboussa le sol d'une mixture marron nauséabonde.

– Parce que, dès que ces imbéciles commenceront à se plaindre, on devra…

– … démarrer en trombe, ENCORE UNE FOIS ! termina Ollett en même temps que sa complice.

Le couple maléfique s'étrangla de rire à cette idée.

Jonas sourit avec malice. Il avait un plan !

Bientôt, le feu s'éteignit. Ollett bâilla à s'en décrocher la mâchoire et se dirigea vers sa charrette bâchée. Mme Narcose pinça l'oreille de Lizzie.

– Ne t'avise pas d'aller dormir avant d'avoir fini ! lui lança-t-elle méchamment.

Et elle rejoignit d'un pas chancelant la chaleur douillette de sa roulotte.

Jonas observa Lizzie, qui continuait à travailler avec peine dans le froid glacial. Lorsqu'elle eut rangé la dernière fiole dans la pharmacie portative, elle s'en alla lentement dans la neige, dire bonsoir à Domino et Cacahuète.

C'était l'occasion qu'espérait Jonas.

Quand Lizzie découvrit qui l'attendait dans l'obscurité, elle se figea. Elle aurait crié si Jonas ne lui avait posé une main sur la bouche.

– Pas un mot ! murmura-t-il. Si Bourru, Touffu et Grise-Queue sont capables de rester silencieux, tu dois pouvoir en faire autant.

Avec mille précautions, sans un bruit et à grand renfort de caresses, Jonas et Lizzie persuadèrent la vieille Cacahuète de monter dans le traîneau.

– Comme ça, il n'y aura pas de traces de sabots ! expliqua Jonas.

Les chiens attendaient patiemment, l'air un peu étonné. Derrière eux, l'ânesse, le dos arqué, trépignait d'inquiétude. Elle avait rabattu ses longues oreilles et remuait vivement la queue.

Lizzie lui chuchota des paroles rassurantes et recula.

Sur un signe de Jonas, les gros chiens se mirent à tirer et le traîneau s'ébranla. De petits fagots de branchages fixés à l'arrière effaçaient les traces des patins, de sorte qu'ils ne laissaient derrière eux aucun indice, aucune empreinte.

Domino leva la tête et regarda avec curiosité passer l'étrange équipage. Le traîneau

glissa sans difficulté sur la neige plane et disparut dans le virage.

– Et d'un !

Lizzie poussa un soupir de soulagement, bien que la terreur fît battre très fort son cœur. Elle n'avait pas le choix : il lui fallait attendre, et c'était bien difficile.

Une chouette passa à tire-d'aile en hulu-lant. Les ronflements de Mme Narcose se chan-gèrent en gargouillis, puis en toux. Lizzie vit bouger les rideaux de la roulotte. L'espace d'une seconde, des yeux ensommeillés appa-rurent derrière la vitre, puis le rideau retomba.

Mme Narcose était trop endormie pour distinguer quelque chose ; cependant, elle l'apostropha d'une voix pâteuse :

– Encore en train de t'agiter autour de tes sacs d'os ! Est-ce que ta vieille carne tient toujours debout ?

Domino hennit en guise de réponse.

– Et cette maudite bourrique, elle n'a pas crevé ?

Un éclair de panique passa dans le regard de Lizzie : si Mme Narcose s'apercevait que Cacahuète n'était plus là, le plan de Jonas échouerait !

La jeune fille renversa la tête en arrière et, de toutes ses forces, poussa un « hi-han » magistral. L'imitation était parfaite, et elle dut se retenir de rire.

– Tu vas faire taire ces satanées bestioles ! marmonna Ollett, qui avait trop bu.

Bientôt, Lizzie les entendit ronfler de nouveau. Elle appuya son dos endolori contre la robe tiède de Domino et attendit le retour de Jonas.

Quand le jeune garçon réapparut enfin, la lune pâlissait et la gelée était blanche comme de la chaux. Lizzie se dépêcha d'aller chercher Domino. Hélas, bien qu'il eût déjà vu le traîneau, le cheval secoua sa crinière en roulant des yeux terrorisés.

– Ça ne marchera pas ! soupira Jonas. Il ne voudra jamais y aller.

– Je ne peux pas le monter, gémit Lizzie, ils nous suivraient à la trace !

– Tu n'as qu'à te hisser sur son dos pour l'aider à grimper dans le traîneau, dit Jonas.

Lizzie monta donc en croupe du cheval et, sabot après sabot, parvint à le mener à l'arrière du véhicule. Alors qu'elle l'attachait, Domino, anxieux, se mit à cingler l'air de sa queue.

– Reste en selle pour le tenir, Lizzie, fit Jonas à voix basse.

Il attendit que le cheval se calme, puis ordonna aux chiens :

– Maintenant, allez-y !

Les chiens tirèrent de toutes leurs forces, sans résultat. Les patins étaient enfoncés trop profondément dans la neige. Jonas dénicha une corde, l'attacha au siège et tira lui aussi.

Le traîneau trembla légèrement, mais n'avança pas d'un pouce. Lizzie descendit de Domino, qui avait retrouvé son calme comme s'il avait compris ce qui se passait. Elle attacha une autre corde et tira à son tour. Le traîneau craqua un peu, mais refusa de bouger.

Jonas serra les poings de désespoir. Il voulait tant que son plan réussisse, or il craignait que les grincements ne réveillent les deux canailles. Croûton arriva alors en bondissant par-dessus les ornières et saisit un bout de corde entre ses petites dents pointues.

– Allons-y ! chuchota Jonas, amusé de voir avec quel sérieux Croûton venait en renfort.

Ils tirèrent de nouveau : Bourru, Touffu, Grise-Queue, Lizzie, Jonas et le petit Croûton. Et le traîneau bougea enfin ! Croûton, tout fier, frétilla de la queue tandis que le convoi quittait le Pré aux Braconniers. Les branchages attachés à l'arrière balayaient la piste, effaçant les traces.

Juste avant qu'ils ne franchissent le

portail du Manoir Branlant, le vent se leva. Il gonfla le châle qui couvrait les épaules de Lizzie, l'emporta et alla le déposer dans un fossé. La jeune fille ne s'en aperçut pas, tellement elle avait froid, et Jonas était trop occupé à regarder la route.

C'est ainsi que le châle resta dans la neige.

Lorsque l'aube perça les nuages, Lizzie, Domino et Cacahuète étaient sains et saufs dans le parc du Manoir Branlant.

— Bienvenue, dit Jonas à son amie en se dirigeant vers l'escalier de pierre. Je vais te trouver une chambre où dormir.

Lizzie secoua la tête :

— Non, merci, Jonas ! Je ne supporte pas d'être enfermée. Je n'aime pas les maisons…

— Bon, alors où vas-tu aller ? soupira Jonas.

— Pourquoi pas là-bas ? demanda Lizzie en montrant une vieille grange délabrée.

Un des murs était écroulé et une grande partie du toit avait perdu ses tuiles.

Lizzie sourit avec lassitude.

– On y sera très bien, déclara-t-elle.

Jonas était trop fatigué pour discuter. Il alla garer le traîneau sous le hangar et lança des os à Bourru, Touffu et Grise-Queue, qui s'installaient dans leur niche. Puis il entra dans la vieille maison et monta se coucher en titubant. Le reste attendrait le matin. Au moment où il glissait dans le sommeil, il eut l'impression qu'il avait oublié quelque chose.

Croûton flaira longuement son écuelle vide et renifla les miettes éparpillées alentour. Finalement, il trottina jusqu'au lit de Jonas. Il se roula en boule à sa place favorite. Après quelque temps, son estomac cessa de gronder.

8
Guet-apens

Quand Jonas se réveilla au milieu de la matinée, il se rappela qu'il avait fort à faire. Il s'assit, caressa la tête de Croûton et se dépêcha de descendre au rez-de-chaussée. Il se glissa dehors par la porte de derrière et se faufila jusqu'à la vieille grange.

Lizzie était déjà debout.

– Tu veux bien venir dans la maison un petit moment ? lui demanda-t-il. Je pense que ma famille aimerait te rencontrer.

Lizzie, méfiante, hocha tout de même la tête.

Ils entrèrent dans le Manoir Branlant par la grande porte, dépassèrent le miroir qui trônait dans le hall et pénétrèrent dans le salon.

– Sapristi, saperlotte, à qui avons-nous l'honneur ? s'enquirent les vieillards en levant les yeux de leurs livres et de leurs journaux.

Jonas leur raconta tout, depuis le spectacle jusqu'à la grande évasion. Lizzie sourit timidement et leur serra la main. Les petits vieux les félicitèrent pour leur courage et pour leur plan très ingénieux.

Cependant, lorsque Jonas conduisit Lizzie au sommet de la grande tour, le plus vieil homme de l'Univers se contenta de lui sourire gentiment, un peu comme si l'histoire n'était pas terminée.

Jonas occupa ainsi toute la matinée. Cela lui faisait bizarre d'avoir une camarade de son âge au Manoir Branlant. Il trouvait amusant de discuter, de rire avec elle et de lui montrer les pièces étonnantes de sa maison, les choses formidables qu'elles contenaient. Tellement amusant qu'il en oublia de donner son petit déjeuner à Croûton.

Bourru, Touffu et Grise-Queue engloutirent au réveil ce qui restait de leurs os savoureux. Domino et Cacahuète se régalèrent du foin et de l'avoine qu'on avait mis dans leur mangeoire. Seul Croûton errait au hasard en traînant les pattes. Il commençait à avoir très faim.

Le petit chien alla s'asseoir près de Jonas, mais son maître était très occupé à bavarder et à rire avec Lizzie. Il s'en fut trouver les vieillards, pour le cas où ils auraient eu quelque friandise à lui proposer. Leurs chiens grognèrent pour le dissuader de quémander.

Le petit chien s'allongea devant le feu, mais il gênait tout le monde. Alors, il sortit dans le jardin glacial.

Croûton alla bouder sous la terrasse bordée de stalactites. Il courut dans la neige, poursuivit les oiseaux... Lorsqu'il fut certain que l'heure du déjeuner était venue, il rentra en trottinant dans la maison, la queue frétillante.

Jonas et Lizzie discutaient encore. Et son écuelle était toujours vide ! Croûton baissa la queue, plus affamé que jamais.

– Ouah ? fit-il. Ouah ?

Jonas ébouriffa distraitement sa fourrure et lui gratouilla le menton. Puis il se leva, mais pas pour aller lui préparer son repas. Il voulait montrer à Lizzie de nouvelles curiosités du Manoir Branlant. Croûton s'éloigna à pas feutrés, triste et déçu.

Il fureta dans le parc, jusqu'à ce qu'il arrive devant le grand portail métallique. Il flaira l'endroit où Jonas avait caché autrefois deux pièces porte-bonheur de six pence. Lui-même n'avait guère de chance, aujourd'hui ! Il aplatit les oreilles et, la tête basse, renifla tristement.

Et c'est pour cela qu'il ne vit pas Octodieux Ollett se glisser derrière le pilier couvert de lierre.

Dès les premières heures du jour, Ollett avait entamé ses recherches. Il avait découvert le châle brodé de Lizzie dans le fossé enneigé, non loin du Manoir Branlant, et deviné que l'endroit pouvait abriter ce qu'il

avait perdu. Quand il vit le petit chien, il reconnut aussitôt son voleur d'affiche. Il empoigna Croûton par surprise et le jeta dans un sac.

– Comme on se retrouve, misérable corniaud ! jubila-t-il.

Croûton se débattait à l'intérieur, tel un forcené, heurtant durement la neige tandis qu'Ollett partait en courant montrer sa trouvaille à Mme Narcose.

Pendant ce temps, au Manoir Branlant, on s'apprêtait à prendre le thé.

Jonas regarda sous la table. Son petit chien n'était nulle part. C'était très bizarre !

– J'aimerais savoir où Croûton est allé se fourrer, marmonna-t-il.

– Quand l'as-tu vu pour la dernière fois ? lui demanda le vieil homme barbu.

– Je ne sais pas exactement, répondit Jonas. Il est rentré avec nous cette nuit.

– Et aujourd'hui ? l'interrogea le très vieil homme.

Jonas baissa les yeux, gêné :

– Je crois qu'il était dans les parages tout à l'heure…

– Ah ! dit l'homme extrêmement vieux. Qui lui a donné son petit déjeuner ?

– Je ne sais pas, dit Jonas, de plus en plus embêté. Pas moi, en tout cas. Et son déjeuner non plus.

Il prit une grande inspiration et ajouta d'une voix étranglée :

– J'aurais dû faire plus attention à lui…

– Ah ! fit l'homme excessivement vieux.

Jonas soupira.

– Eh bien, alors ? dit l'homme incroyablement vieux.

– Si on allait voir dehors ? proposa Lizzie.

Au même instant, on frappa très fort à la porte d'entrée.

– On nous ramène peut-être Croûton ! s'exclama Jonas.

Plein d'espoir, il se précipita pour aller ouvrir.

Sur le seuil, il découvrit Mme Narcose et Octodieux Ollett.

Ils souriaient horriblement, et le bousculèrent pour passer.

Mme Narcose traversa le hall d'un pas ondulant. Elle passa devant la vieille horloge et s'admira dans le miroir avant de pénétrer dans le salon, Ollett sur ses talons.

– Je viens chercher Lizzie Linnet ! déclara-t-elle d'une voix autoritaire en

ramenant sa cape de velours mauve sur ses pieds. Et ses animaux !

Lizzie suffoqua et fila se cacher derrière le plus gros des fauteuils. Les vieillards ne perdaient pas une miette de la scène. Ils regardèrent Jonas.

– Pas question ! hurla le jeune garçon. Lizzie vit au Manoir Branlant, maintenant.

– Fort bien, fit Mme Narcose avec un sourire méchant. Dans ce cas, nous ne nous attarderons pas.

Ses yeux fourbes luisaient sous ses paupières mi-closes. Jonas et Lizzie échangèrent un regard perplexe.

– Mais sachez que nous avons attrapé un petit chien qui errait sur la route, ajouta sournoisement Mme Narcose.

– Oh, Jonas ! s'écria Lizzie, horrifiée.

Des larmes de rage emplirent les yeux du jeune garçon.

– Mais… vous n'avez pas besoin de Croûton ! lâcha-t-il étourdiment.

– C'est vrai. Par contre, nous avons besoin de Lizzie et de ses vieilles bêtes. Sinon, comment nous déplacerons-nous ? C'est à toi de choisir, Jonas !

Sur ces mots, Mme Narcose fit demi-tour et quitta la pièce. Jonas, furieux, se jeta sur elle en hurlant, les poings en avant.

Mme Narcose, qui ne s'y attendait pas, alla s'écraser contre le mur près de l'énorme miroir, qui vacilla.

Le vieil homme barbu s'avança pour retenir Jonas :

– Calme-toi, mon garçon ! Cela n'arrangera rien.

Au même instant, l'horloge sonna. Mme Narcose siffla :

– Tu as deux heures pour te décider, Jonas : Croûton ou Lizzie !

– À bientôt, gros malins ! fit Ollett avec un méchant rictus ! Et, Lizzie, la prochaine fois que tu te sauves, tiens mieux ton châle !

Jonas et Lizzie se regardèrent.

– C'est simple, gémit Lizzie, désespérée. J'y vais.

Jonas secoua la tête, très ennuyé. Lizzie ou Croûton ? C'était un choix impossible !

– Non ! trancha le vieil homme barbu. Assieds-toi, Lizzie. Et toi aussi, Jonas.

– Nous devons y réfléchir, dit le très vieil homme.

– Afin de trouver une idée ! compléta l'homme extrêmement vieux.

– Il y a certainement une solution, marmonna l'homme excessivement vieux.

– Très certainement, murmura l'homme incroyablement vieux.

Les vieillards commencèrent par réfléchir assis, puis ils se levèrent. Et ils se rassirent. Puis ils firent les cent pas. Ils finirent par se gratter la tête en soupirant.

– Ah, sapristi, saperlotte ! Jonas, nous n'avons rien trouvé ! dirent-ils en chœur. Cette vieille chouette de Narcose nous a piégés !

Jonas quitta alors le salon et traversa le manoir en courant. Il monta quatre à quatre l'escalier de la tour et déboucha dans la pièce du haut. Dehors, la nuit tombait ; les flammes des chandelles se reflétaient sur les carreaux des grandes fenêtres.

Jonas s'approcha de l'étagère et souleva le chapeau le plus délicatement possible. Le plus vieil homme de l'Univers était déjà réveillé. Il attendait Jonas, les yeux grands ouverts.

– S'il vous plaît, l'implora Jonas, dites-moi ce que je dois faire.

– Pour arrêter cette méchante femme aux yeux malfaisants ? demanda le sage vieillard.

Jonas opina.

– Et pour aider Lizzie ?

Jonas acquiesça de nouveau.

– Et pour récupérer Croûton ?

Jonas hocha la tête de plus belle et se mordit très fort la lèvre. Il y eut un silence insupportable.

– Jonas, dit tranquillement le plus vieil homme de l'Univers, qu'est-ce que tu vois autour de toi ?

– Rien, fit Jonas avec impatience.

Il jeta un coup d'œil circulaire dans la pièce avant d'ajouter :

– Rien que des murs et des fenêtres.

– Regarde mieux, insista le vieillard minuscule d'un ton sans appel. Fixe les fenêtres. Que vois-tu ?

Jonas observa les vitres sombres et, soudain, il vit quelque chose nettement. Une idée lui vint, et ses yeux s'emplirent d'espoir.

– Oh ! dit-il. Je vois ! Bien sûr.

Il redescendit l'escalier à toute vitesse pour confier son plan à tout le monde.

– Les préparatifs nous demanderont beaucoup de travail, dit-il, mais ça peut marcher !

– Sapristi, saperlotte ! Bien sûr que ça peut marcher ! s'écrièrent les vieillards.

Lizzie, hésitante, fronça les sourcils. Elle ne voulait pas retomber dans les griffes de Mme Narcose, même pour quelques secondes. Pourtant, c'était la seule possibilité.

– Oui, accepta-t-elle du bout des lèvres. C'est d'accord, j'y vais.

Alors, malgré l'obscurité, Lizzie s'en alla par les routes enneigées, conduisant Caca-huète. Jonas, qui marchait à son côté, tenait la longe de Domino.

Les pauvres bêtes avançaient lentement, avec lassitude. Lorsqu'ils arrivèrent près du Pré aux Braconniers, Lizzie se tourna vers Jonas. Ils croisèrent les doigts pour se souhaiter bonne chance.

Mme Narcose et Ollett attendaient près de leur feu de camp, les bras sur la poitrine, l'air contents d'eux. Croûton était invisible.

– Et maintenant à vous ! leur lança Jonas de but en blanc. Rendez-moi Croûton !

Le couple infernal éclata de rire :

– Ah, zut ! On est désolés : il dort dans sa cage, pour l'instant.

Mme Narcose haussa les épaules :

– Tu auras ton cabot quand on partira, pas avant !

– On ne veut pas se faire embobiner, figure-toi ! ricana Ollett.

Jonas n'espérait rien d'autre de ces scélérats. Il n'avait plus qu'à laisser son plan suivre son cours. S'il faisait des histoires, il risquait de mettre Croûton en danger. Il tourna les talons.

– Prends soin de Croûton…, murmura-t-il à Lizzie.

– Évidemment ! le rassura-t-elle.

Pour Jonas, rentrer seul au Manoir Branlant fut très pénible. « Je récupérerai Croûton ! Je le récupérerai sain et sauf ! » se répétait-il en boucle.

9

« Vous n'avez aucun pouvoir... »

Bien entendu, il était trop tard pour que Mme Narcose installe ailleurs son campement. Elle n'avait pas le choix : il lui fallait passer la nuit dans le Pré aux Braconniers.

Alors, comme Jonas l'avait espéré, l'envie de gagner plus d'argent lui picota les doigts, et elle décida de donner une nouvelle représentation de son Spectacle Médicinal à Riddlesden le jour suivant.

À cette perspective, Ollett se tordit les mains d'inquiétude :

– Mais, madame, que ferons-nous si les gens viennent se plaindre ? Si un traitement a mal tourné ?

Mme Narcose lui jeta un regard mauvais et lui frappa les genoux de sa canne d'ébène.

– N'as-tu aucune foi dans mes pouvoirs, odieux nabot ? le rabroua-t-elle.

Le lendemain matin, Mme Narcose polit avec soin son amulette de cristal. Octodieux Ollett frotta les boucles de ses bottes et envoya Lizzie vérifier si les étagères de la pharmacie étaient pleines.

Au passage, la jeune fille murmura des paroles réconfortantes au petit Croûton, emprisonné dans un étroit panier d'osier.

Pendant ce temps-là, Jonas parcourait la ville. Il arpentait les rues hautes et les rues basses de Riddlesden pour dire ce qui devait être dit.

À midi, le Spectacle Médicinal de Mme Narcose se réinstalla sur la place du marché. La foule s'agglutina autour de l'estrade aux couleurs voyantes.

En apparence, les badauds étaient les mêmes que d'habitude ; cependant leurs yeux pétillaient de malice… Jonas Jones était parmi eux.

Octodieux Ollett entra sur scène en bondissant ; il avait un rictus arrogant et paraissait très sûr de lui. Lizzie faisait les mêmes pirouettes, les mêmes triples saltos que les fois précédentes, un sourire sans joie plaqué sur le visage. Le petit Croûton, affublé d'une collerette ridicule, était assis dans un coin de l'estrade. La tête et la queue basses, il ne leva même pas les yeux pour voir si Jonas était dans la foule.

Ollett joua son air de fanfare et Mme Narcose se glissa sur les planches, aussi mystérieuse que de coutume. Elle darda ses gros yeux violets sur les spectateurs. Son sourire était doux comme le miel. Elle leva très haut son amulette de cristal et lui imprima un mouvement de balancier. Puis elle vérifia si la foule, hypnotisée, oscillait en cadence. En avant et en arrière. En avant et en arrière…

Mais les gens ne se balançaient pas. Pire : une voix s'éleva pour se plaindre d'un remède. Puis une autre cria, et une autre encore. Furieuse, Mme Narcose se dressa de toute sa hauteur.

– Silence ! Faites ce que je vous dis ! sif-fla-t-elle. Je vous ordonne de m'obéir !

Contre toute attente, la foule se tut, pétrifiée par ce cri. Brandissant toujours son amulette scintillante, Mme Narcose traversa l'estrade en ondoyant et s'adressa aux spectateurs d'une voix sucrée. Elle les scrutait de ses gros yeux, comme pour les captiver.

– Vous n'avez aucun pouvoir ! dit-elle. Vous n'avez aucun pouvoir !

– Vous n'avez aucun pouvoir, lui répondirent-ils en écho.

Cependant ces paroles avaient une étrange sonorité.

Ollett ricana méchamment et joignit sa voix au chœur :

– Vous n'avez aucun pouvoir ! psalmodiat-il. Vous n'avez aucun pouvoir !

– Maintenant ! s'époumona Jonas. Maintenant ! Maintenant !

À ce signal, la foule s'ouvrit en deux pour laisser passer Bourru, Touffu et Grise-Queue. Les trois chiens, escortés par le vieil homme barbu, s'avancèrent vers

Mme Narcose en montrant les dents. Ils tiraient le traîneau, sur lequel était installé le grand miroir du Manoir Branlant, flamboyant comme un soleil. Mme Narcose fut surprise en plein chant.

La glace lui renvoya son image éblouissante. Elle vit son air mauvais ; elle entendit sa voix chanter, chanter... Elle fut captivée par son amulette de cristal, qui oscillait d'avant en arrière.

Le miroir réfléchit un tourbillon de lumière. Deux yeux violets la dévisagèrent, lui retournèrent ses vœux maléfiques.

– Vous n'avez aucun pouvoir ! dit-elle. Vous n'avez AUCUN POUVOIR !

Puis Mme Narcose poussa un cri perçant, épouvantable. Elle laissa tomber l'amulette et, effarée, se cacha le visage dans les mains. Lizzie récupéra le cristal et le serra contre son cœur.

Ollett, pitoyable, tremblait de tout son corps, refusant de croire que Mme Narcose

avait perdu son pouvoir. Elle avait les yeux éteints et ses paupières battaient, tels de petits papillons piégés par la flamme d'une bougie.

– Vous n'avez aucun pouvoir, pleurnicha-t-elle, comme si elle ignorait où elle se trouvait et qui elle était. Aucun pouvoir. Aucun pouvoir…

Octodieux Ollett rampa vers elle. Elle s'agrippa à lui et ils quittèrent la scène ensemble en titubant. La foule poussa un rugissement joyeux. Les gens étaient ravis d'avoir aidé Jonas. Plusieurs types costauds poursuivirent le couple maléfique en le bombardant de légumes pourris.

– On va se débarrasser d'eux ! hurla un fermier au visage rougeaud. On va les chasser de la ville.

– Non ! s'écria Lizzie, qui s'inquiétait pour Domino et Cacahuète.

Le vieillard barbu se dépêcha de rejoindre le fermier et lui parla à l'oreille.

– Ne vous inquiétez pas, déclara l'homme. Ces deux-là ne s'échapperont pas. Et encore moins avec votre âne et votre cheval, mademoiselle. Vous allez pouvoir récupérer vos animaux.

Jonas, préoccupé, s'était déjà frayé un chemin dans la foule pour aller retrouver Croûton. Le petit bâtard, toujours couché sur l'estrade, gémissait faiblement. Il avait déchiqueté sa collerette ridicule et posé la tête sur ses pattes avant. Jonas se précipita vers lui.

– Croûton ! cria-t-il. Croûton !

– Ouah ? fit Croûton en apercevant son maître.

Il frétilla de sa queue courte et tenta de sauter.

– Ouah, ouah, ouah ! aboya-t-il, fou de joie.

En les attirant avec de l'avoine, les fermiers réussirent à convaincre l'âne et le cheval, affamés, de quitter le Pré aux Braconniers pour retourner auprès de Lizzie. Narcose et Ollett eurent droit à moins d'égards : on les ligota dans une charrette qui les emporta au loin en cahotant.

Tout était fini à Riddlesden, et il était temps de remonter au Manoir Branlant par la route verglacée qui serpentait au milieu des champs enneigés.

Jonas et Croûton marchaient côte à côte. Lizzie était entre Cacahuète et Domino. Bourru, Touffu et Grise-Queue tiraient l'attelage.

Le vieil homme barbu marchait en tête.

Derrière eux, sur le traîneau, l'énorme miroir brillait comme un soleil.

Plus tard, ce soir-là, Jonas apporta de nouvelles couvertures dans la vieille grange, parce qu'une tempête de neige s'annonçait. Croûton trottinait à ses côtés.

Ils trouvèrent Lizzie assise près de Cacahuète et Domino ; elle regardait ses protégés ruminer avec contentement, leur queue cinglant l'air.

Jonas écarquilla les yeux. Dans la main de Lizzie, il venait de reconnaître l'amulette de cristal de Mme Narcose.

– Qu'est-ce que tu fais avec ça ? lui demanda-t-il, inquiet.

– Je me souviens…, soupira Lizzie.

– Tu te souviens ? répéta Jonas, perplexe.

– Oui, Jonas. Tu vois, ce cristal appartenait à ma mère. Quand elle dansait avec, tout là-haut sur le fil, j'avais l'impression qu'elle portait une étoile…

Elle enveloppa l'amulette dans un foulard et la rangea soigneusement :

– Merci, Jonas Jones ! Mille fois merci !

10
L'heure des cadeaux

Les jours défilèrent. Lizzie habitait toujours dans la grange avec Domino et Cacahuète. Jonas s'occupait à droite et à gauche, avec Croûton sur ses talons. Il fabriquait, pétrissait, cuisait au four…

Quant aux vieillards, ils passaient leur temps dans l'écurie, travaillant à quelque chose d'important.

Il se remit à neiger. Des flocons blancs tourbillonnaient dans les rues de la ville et se posaient sur les toits des maisons. La neige qui avait recouvert la lande et la colline était si épaisse que la vieille borne kilométrique resta invisible des mois durant. Il neigea aussi, bien sûr, sur le Manoir Branlant, sur sa haute tour et ses grandes cheminées.

Enfin, un beau matin, au son des cloches, on installa un magnifique sapin scintillant de lumière dans le salon du Manoir, et tout le monde se rassembla autour.

Il y avait plein de paquets éparpillés sous l'arbre et sur le tapis, que Bourru, Touffu, et Grise-Queue iraient distribuer dans les maisons voisines. D'autres étaient accrochés aux branches, tous étiquetés.

Il y avait des cadeaux pour les vieillards et pour Jonas, et aussi plusieurs paquets en forme d'os. Seule Lizzie ne vit son nom sur aucune étiquette. Elle se consola

en pensant au repas de fête, qui fut délicieux.

Lorsqu'ils eurent fini de tout manger, Jonas écarta les rideaux qui masquaient la grande fenêtre du salon.

– Viens voir, Lizzie ! dit-il en souriant de toutes ses dents.

Devant la maison, Lizzie découvrit une roulotte au toit couvert de neige, entourée de petites bougies brillantes. C'était la roulotte qui avait appartenu à ses parents ! Elle était toute belle, fraîchement repeinte de couleurs gaies.

– Elle est magnifique ! s'écria-t-elle, folle de joie.

Les petits vieux se mirent à jacasser, se félicitant mutuellement de cette bonne surprise.

Lizzie sortit en courant, traversa la cour et monta dans la roulotte. L'intérieur était aussi confortable qu'on pouvait l'imaginer. La jeune fille soupira et resta longtemps assise, se berçant doucement. Puis elle tira de sa

111

poche l'amulette de cristal et la tendit devant elle, au bout de sa chaîne. Ses facettes firent danser mille étoiles dans la petite pièce.

Les vieillards restèrent quelque temps à la fenêtre, à regarder la neige éclairée par la lune, avant de regagner leurs fauteuils.

– C'est l'heure des cadeaux, Jonas Jones ! dirent-ils.

Jonas alla chercher les paquets accrochés aux branches du sapin.

Croûton se précipita pour l'aider, et tous les chiens assoupis se dressèrent d'un même mouvement, en alerte.

En haut, tout en haut de la grande tour, une petite voix gloussa :

– Hé oui, Jonas Jones, c'est l'heure des cadeaux !